Sous la direction de S. Coutausse
Illustrations : Aglaée & Noé
Mise en page : F. Rey

ISBN 2-7434-6580-8

Imprimé et relié par Eurolitho S.p.A Italie

SUCCES DU LIVRE

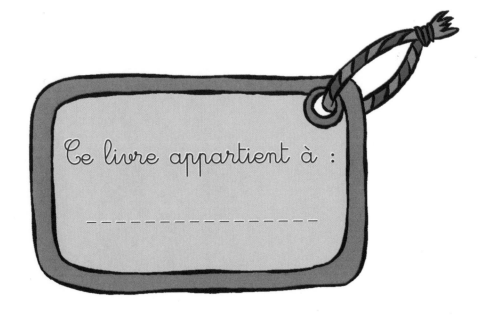

Ce livre appartient à :

_____

Les apprentissages

les drôles d'expressions

mômes et compagnie

Dans ce livre très amusant,
tu vas découvrir de drôles de façons de parler !
En regardant bien les images et en analysant les situations,
essaie de deviner ce que veulent dire ces drôles d'expressions.

Quand tu as trouvé,
tu colories l'étoile, le triangle ou le losange
devant la bonne réponse.

Par exemple :
Se faire remonter les bretelles
ça veut dire :

 tirer sur ses bretelles ?

 se faire gronder ?

 perdre son pantalon ?

Amuse-toi bien !

Jeter
des fleurs

ça veut dire :

 Offrir des fleurs à quelqu'un ?

 Mettre des fleurs à la poubelle ?

 Faire de petits compliments ?

Tiens,
je te jette ces
quelques fleurs !

Eglantine,
tu es la plus belle
de l'école !

C'est pas la peine de me jeter des fleurs,
tu n'auras pas ma glace !

Être comme les cinq doigts de la main

ça veut dire :

 Avoir des doigts qui se ressemblent ?

 Être inséparables ?

 Se tenir la main ?

Tu as vu ?
On est tous les cinq inséparables !

Où vas-tu Mimi ?
Je viens avec toi !

Bien sûr.
Pas question de nous séparer !

Chercher une aiguille dans une botte de foin

ça veut dire :

 Chercher quelque chose d'introuvable ?

 Chercher la boîte à couture ?

 Chercher une aiguille dans le foin ?

Je finirai
par la trouver,
cette aiguille !

Ça sert à rien de pleurnicher :
ta pièce, tu ne peux pas la retrouver
dans tout ce sable !

Mais je veux ma petite pièce
pour m'acheter une glace !
Ouin !

Il pleut
des cordes

ça veut dire :

 Que des cordes tombent du ciel ?

 Qu'on joue à la corde sous la pluie ?

 Que la pluie tombe très fort ?

Au secours ! Mais qu'est-ce qui se passe ?
Il pleut des cordes !

Aïe ! Ça va faire mal !
Vite, tous à l'abri sous le parapluie de lili.

La pluie tombe si fort qu'on dirait qu'elle me frappe !

Compter les moutons

ça veut dire :

 Essayer de s'endormir ?

 Apprendre à compter avec des moutons

 Ramasser les moutons de poussière ?

Tu n'as qu'à compter les moutons dans ta tête, il paraît que ça marche !

Être
dans la Lune

ça veut dire :

 Faire un voyage dans l'espace ?

 Vivre sur la Lune ?

 Être distrait, rêver un peu ?

Qu'est-ce qu'on est bien ici !

Tu rêves ou quoi, Loulou ?
C'est à toi de jouer !

Je pensais à autre chose...
Je suis un peu dans la Lune !

Pleurer comme une madeleine

ça veut dire :

 Qu'on pleure sans pouvoir s'arrêter ?

 Que les madeleines pleurent ?

 Que ma copine Madeleine pleure tout le temps ?

Arrête de pleurer,
le voilà ton lapin !

Je veux bien arrêter de pleurer
mais je n'y arrive pas !

Voir la vie
en rose

ça veut dire :

 Aimer la couleur rose ?

 Voir les choses du bon côté ?

 Voir à travers des lunettes roses ?

C'est triste :
mon verre est déjà à moitié vide !

Mettre les pieds dans le plat

ça veut dire :

 Se tenir très mal à table ?

 Tomber dans la soupe ?

 Dire une bêtise sans le vouloir ?

Viens, on va bien s'amuser dans ce plat !

Ça y est :
j'ai invité Lili à notre fête !

Bravo ! Je suis fâché avec elle...
C'est moi qui ne viendrai pas !

Avoir
la main verte

ça veut dire :

 Qu'on porte des gants verts ?

 Qu'on a attrapé la maladie verte ?

 Qu'on est un bon jardinier ?

Tu ne les aimes pas assez.
Il faut leur dire des choses gentilles.

Avoir
la puce à l'oreille

ça veut dire :

 Se douter de quelque chose ?

 Avoir les oreilles qui grattent ?

 Avoir une puce dans l'oreille ?

Hi ! Hi ! Hi !
Ça me chatouille trop !

Comment tu savais
que j'allais t'offrir un ballon ?

Je m'en suis douté
parce que ton paquet était tout rond !

Avoir
un coup de foudre

ça veut dire :

 Qu'on a reçu un coup ?

 Que la foudre est tombée tout près ?

 Qu'on voit quelque chose et qu'on l'aime aussitôt ?

Oh ! Qu'est-ce qui m'arrive ?

Depuis le premier jour,
mon petit chat et moi, on ne se quitte plus !

C'est le coup de foudre :
on s'adore !

Avoir un poil dans la main

ça veut dire :

 Qu'on a un poil qui pousse dans la main ?

 Qu'on est très paresseux ?

 Qu'on est un extraterrestre ?

Mais qu'est-ce qui t'arrive?
C'est quoi ce poil?

Non...
je suis un peu occupé !

Être muet comme une carpe

ça veut dire :

 Rester silencieux ?

 Nager sans parler ?

 Parler en faisant des bulles ?

Pourquoi tu ne veux pas me répondre ?
On dirait une carpe !

Être serrés
comme des sardines

ça veut dire :

 Qu'on vit dans une petite boîte ?

 Qu'on aime les sardines ?

 Qu'on manque de place ?

Poussez-vous,
je viens jouer avec vous !

Non ! Tu vois bien
qu'il n'y a pas assez de place !

Être
une tête de mule

ça veut dire :

 Qu'on est entêté, obstiné ?

 Qu'on a de grandes oreilles ?

 Qu'on porte des mules sur sa tête ?

Qu'est-ce qu'elle a ma tête ?

Les murs
ont des oreilles

ça veut dire :

 Qu'il y a des oreilles collées au mur ?

 Que quelqu'un nous espionne ?

 Qu'il y a des oreilles sur le papier peint ?

Viens Paquita,
je vais te dire un secret !

Marcher
sur des œufs

ça veut dire :

 Qu'on écrase des œufs en marchant ?

 Qu'on se sent mal à l'aise ?

 Qu'on a un tapis tout en œufs ?

Mais avance donc !
De quoi as-tu peur?

J'ose pas me montrer,
alors j'y vais doucement !

Mettre les points sur les i

ça veut dire :

 Bien expliquer et insister ?

 Décorer son cahier avec des points ?

 Faire des points partout ?

Mais qui a oublié les points sur les i ?

Je te répète encore une fois
que je ne veux pas jouer aux billes.

Bon, ça va, j'ai compris ...
mais j'aimerais bien jouer aux billes
quand même !

Motus
et bouche cousue

ça veut dire :

 Qu'on a la bouche cousue ?

 Qu'on boude ?

 Qu'on ne veut pas révéler un secret ?

Non, je ne dirai rien !

Alors, tu me dis qui t'a donné ce sac de bonbons ?

Non, c'est un secret. J'ai promis à Zouzou de ne rien dire... Oh, zut !

Quand le chat n'est pas là, les souris dansent

ça veut dire :

 Qu'il y a bal chez les souris ?

 Que le chat ne veut pas danser ?

 Que personne ne nous surveille ?

Chantez ... dansez ...
avant le retour du chat !

Je dois sortir
un petit moment,
soyez bien sages !

Se faire tirer les oreilles

ça veut dire :

 Qu'on se bat ?

 Qu'on ressemble à un lapin ?

 Qu'on se fait gronder ?

Si tu ne ranges pas
un peu ta chambre...

Regarder
les mouches voler

ça veut dire :

 Ne rien faire, être béat ?

 Essayer d'attraper les mouches ?

 Observer les insectes ?

Tu ne pourrais pas m'aider,
au lieu de regarder les mouches voler?

Quelles mouches ?
Tu vois bien qu'il n'y en a pas !

Quand les poules auront des dents

ça veut dire :

 Qu'on a perdu une dent ?

 Qu'on imite les poules ?

 Jamais, jamais, jamais ?

Et pourquoi on n'en aurait pas des dents, nous ?

Dis Loulou,
tu me le prêteras ton petit chat ?

Oui, quand les poules auront des dents.
Hi ! Hi ! Hi !

Se cacher
dans un trou de souris

ça veut dire :

 Qu'on est minuscule ?

 Qu'on est intimidé ou qu'on a honte ?

 Qu'on est une souris ?

Non, c'est pas moi...
je ne suis même pas là !